PLAZA
NICE

ROYAL HOTEL
DEAUVILLE

LE PLUS BEL HÔTEL
ROYAL PICARD
LE TOUQUET

LA BAULE
LA PLAGE DU SOLEIL

GRAND HOTEL DE FRANCE
NICE

EST·END
HOTEL

ROMENADE DES ANGLAIS
NICE

Hotel de Paris
MONTE·CARLO

HOTEL RUH
NIC

GRANDS HOTELS DE BORD DE MER

SOPHIE KOSINSKI
ERIC MICHELETTI

TEXTE ET PHOTOS

HISTOIRE & COLLECTIONS

GRANDS HOTELS 10
DE LA MANCHE

GRANDS HOTELS 48
DE L'ATLANTIQUE

Hôtel des Roches Noires à Trouville
Trouville Palace Hôtel

Le Grand Hôtel de Dinard
Crystal Hôtel à Dinard
Hôtel Royal à Dinard
Gallic Hôtel à Dinard

Le Grand Hôtel d'Houlgate

Westminster au Touquet
Royal Picardy au Touquet

Hôtel des Arcades aux Sables-d'Or-les-Pins

Le Grand Hôtel de Cabourg

Normandy Hôtel à Deauville
Royal Hôtel à Deauville

Le Grand Hôtel de Saint-Lunaire
L'Hôtel Lutetia à Saint-Lunaire

L'Hermitage à La Baule
Hôtel Royal à La Baule

Le Grand Hôtel d'Arcachon

Le Grand Hôtel de Saint-Raphaël
Hôtel de la Plage à Saint-Raphaël
Golf-Hôtel Valescure à Saint-Raphaël

Hôtel de la Californie à Cannes
Hôtel Galla Palace à Cannes
Le Carlton à Cannes
Hôtel Majestic à Cannes
Hôtel Martinez à Cannes
Hôtel Miramar à Cannes

Hôtel Provençal à Juan-les-Pins
Le Grand Hôtel du Cap à Antibes

Hôtel du Palais à Biarritz
Carlton Hôtel à Biarritz

Hôtel Guetharia à Guéthary

Hôtel de la Résidence du Val d'Esquières à Sainte-Maxime

Le Grand Hôtel du Cap-Ferrat
Hôtel de Paris à Monte-Carlo
L'Hermitage à Monte-Carlo

Grand-Hôtel du Cap-Martin

Golf Hôtel à Saint-Jean-de-Luz
Modern Hôtel à Saint-Jean-de-Luz
Atlantic Hôtel à Saint-Jean-de-Luz

Grand Hôtel Eskualduna à Hendaye
Hostellerie Haiçaba à Hendaye

L'Hermitage à Hyères
Le Grand Hôtel des Iles d'Or à Hyères
Le Grand Hôtel des Palmiers à Hyères
Hôtel San-Salvador à Hyères

Riviera Palace à Menton
Winter-Palace à Menton
Le Grand Hôtel d'Orient à Menton

Excelsior Hôtel Régina à Nice
Winter-Palace à Nice
Alhambra Hôtel à Nice
Hôtel Majestic à Nice
Hôtel Negresco à Nice

Grands Hôtels de Bord de Mer

GRANDS HOTELS DE MEDITERRANEE 76

GRANDS HOTELS

DE BORD DE MER

Symbole de la vie balnéaire avec le casino, le grand hôtel de bord de mer est né au milieu du XIXᵉ siècle. De dimensions classiques au début, mais toutefois luxueux pour accueillir une clientèle aristocratique, l'hôtel-palais se fait de plus en plus imposant au fil des années jusqu'à devenir un formidable monument du paysage balnéaire.

Erigés de Dieppe à Trouville, puis à Biarritz, ils trouvent une forme "d'aboutissement" conceptuel sur la Riviera. Mêlant les styles architecturaux, ces hôtels-palais de la fin du dix-neuvième siècle, seront liés à une conception conditionnant l'architecture extérieure. Car les "résidents-hivernants" avaient coutume d'y séjourner de quatre à six mois. Ils désiraient donc trouver un confort à l'image de leur maison avec tout d'abord, une chambre-appartement comprenant une salle de bains, mais aussi un salon, ainsi que des lieux pour se rencontrer, pour le bridge et le thé, en particulier pour la clientèle anglaise, sans oublier des lieux de réception de grande taille, un hall, une, voire plusieurs salles à manger, des salons de lecture et de musique.

Ces nécessités imposeront aux architectes la construction d'énormes bâtiments abritant de nombreuses pièces d'accueil et de réception, chambres-appartements, chambres de courrier (chambres de domestiques) et un grand nombre de services.

La majorité des hôtels présente donc une architecture extérieure sobre, avec de grandes surfaces rythmées par d'innombrables fenêtres dotées de balcons. La façade s'orne souvent d'un fronton où s'inscrit le nom de l'hôtel. Tours ou clochetons associés à une grande rotonde de verre et de fer, en général la salle à manger, animent l'ensemble.

A la Belle Epoque apparaît un nouveau type d'établissement pour voyageurs et hivernants : le grand hôtel. Au tournant du siècle, la clientèle change. La population balnéaire autrefois homogène, composée par l'aristocratie, les grands propriétaires, rentiers et quelques membres de la haute finance a été peu à peu supplantée par les hommes d'affaires, les banquiers, les industriels, les directeurs de journaux et les artistes. Une clientèle mobile, hétérogène et cosmopolite, en particulier anglaise et américaine séjournera sur les côtes françaises. Devant de telles mutations, les hôtels devront s'adapter.

L'impulsion en a été donnée par César Ritz en 1898 avec l'Elysée-Palace à Paris bénéficiant d'une architecture très novatrice. Cette vogue pour les palaces se généralise, d'abord sur la Côte d'Azur, puis sur la Côte Normande, pour en finir avec les chambres sombres, les salons précieux aux lourdes draperies et l'absence de salle de bains. L'hôtel-palais s'adapte à une nouvelle clientèle recherchant le luxe et le progrès.

Une époque s'achève brutalement en 1914. La plupart des grands hôtels français est transformée en hôpital militaire. Même si à partir de 1919, la vieille clientèle française et anglaise reprend le chemin des stations balnéaires pour la saison hivernale, il en est définitivement terminé de celles russe et allemande disparues dans la tourmente de la Grande Guerre. Pourtant, quelques années plus tard, durant les Années Folles, la soif de s'amuser et de vivre conduit à un renouveau de la grande hôtellerie balnéaire. Des stations sont créées, et un type nouveau d'établissement apparaît : l'hôtel-palace. Dépouillés à l'image de l'Art Déco, ces hôtels aussi grands que leurs aînés sont maintenant ouverts sur l'extérieur, avec des terrasses spacieuses, des halls immenses et des ouvertures généreuses. Le luxe est toujours présent.

A la différence des hôtels-palais du XIXe siècle, ensembles hétérogènes, construits par agrandissements successifs, — pour répondre à une clientèle toujours plus nombreuse —, les palaces sont symétriques et de forme régulière. Signe des temps, ils sont construits très rapidement, car la concurrence est redoutable dans les stations balnéaires à la mode. Les plans d'ensemble changent, le hall étroit et les salons contigus font place à un espace monumental, endroit majeur où le client doit être vu. L'escalier se fait plus petit au profit des ascenseurs, tandis que les chambres voyant disparaître les tentures pour des murs blancs immaculés, sont toutes équipées de salles de bains, symboles du bien-être. Les décors intérieurs éclectiques et souvent chargés font place dans les palaces à une architecture sobre, claire et en mouvement, mais toutefois imposante afin de séduire la clientèle, avide de prouver son appartenance aux meilleures couches de la société.

Dans les années quarante, exceptée une poignée de palaces, les "hôtels-paquebots" seront peu à peu vendus et divisés en appartements, ne convenant plus aux bourses modestes d'un nouveau tourisme social. Beaucoup disparaissent d'ailleurs dans les années soixante sous les coups de pioche des promoteurs.

Ne dit-on pas que la vie des grands hôtels est souvent aussi sensible aux à-coups de l'histoire que la corbeille de la bourse. Ainsi la Première Guerre Mondiale, la crise économique des années trente, la Seconde Guerre Mondiale et le tourisme de masse auront raison de nombre d'entre eux.

Sans la fragile protection de leur renommée, leurs hôtes disparus, les palaces ne sont plus alors que de grands bâtiments vides.

Ce livre n'a pas la prétention de présenter la totalité des grands hôtels construits le long des côtes de France. Notre but est de vous faire partager nos coups de cœur, en vous livrant une modeste part de leur histoire.

DE LA MANCHE

Vers 1820, la duchesse de Berry lançait la mode des bains de mer à Dieppe. Ses séjours furent déterminants : tout ce qui comptait parmi les gens du monde descendait à Dieppe. Quarante ans plus tard, le chemin de fer entraine le développement de stations balnéaires tout le long de la Manche, avec l'élaboration d'un urbanisme nouveau : la villégiature, avec hôtels de luxe, casinos, établissements de bains et villas.

Après Dieppe, les élites fortunées transposent leur mode de vie et décor quotidien sur la côte de Honfleur à Dives. Trouville devient un lieu à la mode et attire l'aristocratie. Cependant vers 1860, Deauville ravit la clientèle de Trouville, qui doit alors s'ouvrir à un tourisme "plus large". De grands hôtels sont érigés en nombre le long de la côte, à Houlgate, Cabourg, et plus loin Granville.

A la même époque, Dinard, puis Saint-Lunaire et Paramé vont connaître un développement balnéaire important, attirant l'aristocratie européenne, en particulier anglaise, durant la saison d'été, après un hiver passé sur la Riviera.

Considérée comme "l'Arcachon du Nord", Le Touquet attire lui-aussi dès le début de ce siècle une clientèle britannique, qui contribue à forger l'identité de la nouvelle station. L'entre-deux-guerres marque le passage de la ville de bains de mer à la cité, plus mondaine. Le Touquet reste en 1926, la troisième station balnéaire française après Deauville et Biarritz, et draine surtout une clientèle à la recherche d'élégance et de sport.

HOTEL WESTMINSTER

Construit en 1924 sur l'emplacement d'un charmant casino en bois appelé le Casino de la Forêt, par l'entreprise belge Monnoyer sous la direction de l'architecte Auguste Bluysen, à la grande colère des entrepreneurs locaux, l'hôtel Westminster sera agrandi en 1926 pour augmenter la capacité d'accueil de 110 à 250 chambres et appartements. Il a été pensé autour du concept du mouvement avec une double rampe d'accès pour voiture, un hall, des salons, un restaurant et des bars très spacieux. Actuellement, le Westminster reste un superbe hôtel pour estivants.

La construction de briques et tuiles plates témoigne d'une architecture belge. L'ouverture en 1924 du premier hôtel Westminster s'effectue après seulement huit mois de travaux. L'architecte Bluysen en confiera la construction à une société parisienne qui en fait, sous-traitera avec une entreprise belge.

Le perron de l'hôtel est un promontoire surplombant l'avenue principale du Touquet, permettant d'être vu par tous, et d'attester de sa position sociale par sa présence dans cet hôtel.

Le
Touquet

ROYAL PICARDY

Symbole s'il en est des Années Folles, le Royal Picardy est destiné à devenir lors de sa conception : "le plus bel hôtel du monde". Aussi sous la responsabilité des architectes Louis Debrouwer et Pierre Drobecq, quelques 1200 ouvriers s'affaireront durant l'année 1928 pour terminer les 500 chambres, 120 salons et boudoirs, piscine, hammam, salle de culture physique, et garage pour cent voitures. Au printemps 1929, les premiers clients pouvaient découvrir l'énorme Royal Picardy — du nom d'un régiment de l'Ancien Régime —, une masse de neuf étages, haute de quarante mètres.

Il était destiné à la clientèle anglaise, près du nouveau casino de la Forêt et des tennis, aussi les deux architectes s'étaient-ils ingéniés à mélanger plusieurs types d'architecture, Gothique anglais, Renaissance italienne, avec des références flamandes et normandes !

Le faste du décor était accentué par le revêtement de pierre reconstituée s'appuyant sur une énorme structure en béton, associé à des voûtes en briques creuses et stuco pierre.

Malheureusement, un an après son inauguration en 1929, la faillite sonne le glas de ce géant. En effet la crise économique qui s'aggrave jusqu'en 1932 entraîne la désaffection de la riche clientèle. Il en sera aussi fini des initiatives privées finançant la construction de ces énormes palaces assurés de profits rapides et importants. Entre temps, le sultan du Maroc, Moulay Mohamed Si Amada y séjourna en compagnie du Grand Vizir.

A la fin des années noires, en juillet 1936 un banquet de sept cent couverts fût organisé au Picardy lors de l'inauguration de l'aéroport du Touquet, accueillant un vol quotidien en provenance de Londres.

Après une réfection partielle en 1949, le Royal Picardy ne comprenait plus que soixante chambres, ayant perdu à jamais le lustre éphémère des Années Folles. Finalement racheté par la mairie du Touquet, celle-ci le fera abattre en 1970. Ainsi disparaissait l'un des plus fastueux hôtels français.

"Immense demeure seigneuriale de l'époque Renaissance anglaise empreinte de goût normand". Louis Debrouwer et Pierre Drobecq, architectes, 1929.

Chaque grand appartement comprenait
une chambre de maître, un salon,
une salle de bains-piscine, un office
pour les repas pris à l'étage et
une chambre de dame de compagnie
ou de valet.

Les fresques de Jeanne Thil
ornant les salons représentaient
les hauts faits du régiment Royal Picardy.

Des rotondes étaient situées
à chaque extrémité de la grande galerie
s'ouvrant sur la façade principale.
Tandis que l'une des rotondes
était occupée par le restaurant dans sa partie
centrale, l'autre comprenait
le bar dans une disposition analogue.
Dans la grande galerie de réception
se trouvait le hall-salon en style gothique anglais
d'une hauteur considérable, aussi haut
qu'une "nef de cathédrale"
selon la revue hebdomadaire d'architecture
La Construction Moderne de janvier 1931.

HÔTEL DES ROCHES NOIRES

L'immense Hôtel des Roches Noires a été construit en 1868 sur les plans de l'architecte Alphonse-Nicolas Crépinet. A l'imitation d'un palais classique, il était destiné à relever le défi lancé par Deauville et le duc de Morny qui dès 1860 avait ravi la clientèle de Trouville. L'engouement pour cet hôtel de luxe fût immédiat. Claude Monet le peindra en 1870.

En 1904, les Roches Noires ont été totalement réaménagées et pourvues de l'électricité. Malgré ces modernisations, l'hôtel ne répondait plus aux demandes d'une clientèle de plus en plus exigeante, en particulier sur l'hygiène. En effet, ce bâtiment déjà vieux d'un demi-siècle ne possédait qu'un nombre restreint de salles de bains.

Dans les années vingt, l'Hôtel des Roches Noires vivait encore sur sa renommée. Son hall fût même redécoré par Mallet-Stevens en 1924.

Toutefois, il finira par être fermé car, faute d'une structure adaptée, il ne put être transformé radicalement afin de satisfaire les goûts nouveaux de la clientèle, désirant toujours plus d'hygiène et d'espace pour se mouvoir et être vue.

"Depuis la jetée (de Trouville) jusqu'aux Roches Noires, les ombrelles de toutes les couleurs, les chapeaux de toutes les formes, les toilettes de toutes les nuances, par groupe devant les cabines (......) ressemblaient vraiment à des bouquets énormes dans une prairie démesurée" Pierre et Jean, Guy de Maupassant (1850-1893).

TROUVILLE PALACE HOTEL

Inauguré en 1910, le Trouville Palace offrait enfin à la clientèle qui se pressait à Trouville, un "nouveau palace" tel qu'elle l'attendait : une façade monumentale, une architecture sobre, de larges fenêtres et des chambres claires dotées de salle de bains, supplantant ainsi l'Hôtel des Roches Noires et l'Hôtel de Paris à l'architecture plus tourmentée et surtout sans salle de bains pour toutes les chambres.

En 1926, le Trouville Palace sera agrandi, pour offrir trois cents chambres (dont cent avec salle de bains), et sera surmonté à cette occasion d'un fronton monumental face à la plage. Malgré tout, bien que doté d'un équipement moderne, le Trouville Palace — avec la concurrence des deux "géants" de Deauville, le Royal et le Normandy —, ne survivra pas aux années cinquante, trop grand pour un hôtel classique et trop petit pour un véritable palace.

NORMANDY HOTEL

DEAUVILLE

NORMANDY HOTEL

En 1910, un groupe de financiers décide de lancer Deauville, et donc de l'équiper d'un grand hôtel moderne. Aussi, le Grand Hôtel démodé, construit à l'initiative de Morny en 1864, fut rasé et remplacé par un nouveau casino. Dans le même temps, afin d'y loger la clientèle, l'architecte Théo Petit sera chargé d'édifier un palace. Il s'agit du Normandy Hôtel.

Inauguré en 1912, bien que palace par son modernisme, il s'apparente encore pourtant par son gigantisme aux grands hôtels de la fin du siècle dernier, avec ses 300 chambres toutes annoncées avec salles de bains, alors qu'en réalité il y en a moins que de chambres, ou encore son architecture compliquée à l'inverse des autres nouveaux palaces aux façades "beaucoup plus lisses".

En 1926, le Normandy sera agrandi dans des proportions considérables et proposera cinq cent cinquante chambres.

Lors de son inauguration en 1912, on insistera beaucoup pour frapper l'imagination sur les 300 chambres, 1700 portes, 11 kilomètres de tapis, 25 kilomètres de rouleaux de papier peint et 400.000 tuiles.

Avec son aspect massif,
militaire pour ses détracteurs,
le Royal Hôtel donnera
à la Terrasse, à partir de 1913,
un nouveau visage :
"une pelouse fleurie avec
une route illuminée
par trois bâtiments majeurs,
deux hôtels et un casino".
Ainsi sera définie '
Deauville durant
des décennies.

GRAND HOTEL D'HOULGATE

L e Grand Hôtel reste, encore de nos jours, le plus grand édifice d'Houlgate. C'est en 1859, que Jacques-Claude Baumier, architecte caennais, dessine les plans d'urbanisme d'une ville balnéaire nouvelle, avec bien sûr, pour accueillir la clientèle, un "grand hôtel". Le souci premier sera de construire un hôtel assez vaste pour pouvoir abriter, du moins dans un premier temps, un casino et un établissement de bains. Par la suite, un casino séparé sera construit en 1864, et des thermes en 1866.

Devant le succès de la station balnéaire, le Grand Hôtel est surélevé de deux étages, et agrandi une première fois en 1897, puis une seconde fois par René-Jacques Baumier, le fils de Jacques-Claude, en 1904. Immense, il compte 300 chambres durant les années dix et vingt.

"En face de la mer, un des plus beaux (hôtels) de toute la côte. Ascenseurs, 160 chambres, 10 salons. Table d'hôte, restaurant, café, terrasse, jardins, grandes écuries et remises. Le rapide de 1h30 quittant Paris Saint-Lazare arrive à Houlgate-Beuzeval à 6h24 du soir." Trouville et les Bains de Mer, de Honfleur à Cabourg, 1896-1897 Guides Joanne.

Houlgate

GRAND HÔTEL DE CABOURG

Vers 1855, fut construit un premier grand hôtel à Cabourg, l'Hôtel du Casino. Trois ans plus tard, celui-ci devenu trop petit pour accueillir la clientèle, un deuxième hôtel sera édifié, l'Hôtel de la Plage, vaste et austère bâtiment de trois étages, 150 chambres et une salle à manger de 25 mètres de long sur 7 mètres de large avec des galeries sur la mer. Toutefois à la Belle Epoque, l'Hôtel de la Plage jugé trop

"Situé entre le casino et l'établissement de bains, (le Grand Hôtel) offre un aspect monumental, avec ses 150 chambres, et tout le confort possible. Beaux appartements et chambres simples. Prix modérés." Panorama-Itinéraire de Paris à Cabourg. 1864.

vieux en regard des concurrents des stations balnéaires voisines, est rasé (en 1907) au profit d'un nouvel hôtel-palais baptisé Grand Hôtel. C'est également l'année où Marcel Proust revient à Cabourg pour la saison, et cela jusqu'en 1914. Le Grand Hôtel semble avoir exercé sur lui une sorte de fascination. Il le compare "à un vaste aquarium contenant toutes sortes de poissons et de mollusques curieux", et la galerie vitrée où les

En août 1907, Marcel Proust passe ses vacances d'été au Grand Hôtel. Il y viendra huit années consécutives jusqu'en 1914. Pour ne pas être dérangé par le bruit, il habitait un étage élevé, n'hésitant pas à louer les chambres autour et au-dessus de la sienne pour bénéficier du maximum de calme. Sa propre chambre se caractérisait par un plafond élevé, des rideaux violets et des vitres basses qui couraient sur les trois côtés. Selon les témoins, en passant près de son fauteuil sur la terrasse, les garçons marchaient sur la pointe des pieds, parlaient par signes, et craignaient de casser des verres.

clients se reposaient, à "un réservoir, une nasse où le pêcheur a entassé les éclatants poissons qu'il a pris".

Le Grand Hôtel est l'un des premiers hôtels de la Côte Normande à bénéficier du terme palace. En effet, ses architectes, Viraut et Maucler, se sont attachés à suivre les concepts novateurs de César Ritz avec l'Elysée-Palace à Paris. A savoir, réaliser un établissement luxueux doté du dernier confort pour ses trois cents chambres : électricité, salles de bains attenantes à de nombreuses chambres et ascenseurs.

Durant la Guerre de 1914-1918, le Grand Hôtel, comme quasiment tous les hôtels balnéaires français, fut transformé en hôpital pour accueillir les militaires blessés. Chaque jeudi, la population était autorisée à rendre visite aux Poilus blessés, leur apportant quelques fruits de saison et du réconfort. Deux ans après la fin de la Grande Guerre, débutent les Années Folles; le Grand Hôtel est alors remis en état pour sa grande réouverture. La clientèle voulait absolument s'amuser et se distraire : aussi pour accueillir le plus grand nombre, une annexe, le Normandie-Hôtel, sera édifiée. De style normand avec colombages, cette annexe sera plus tard revendue en appartements. Les années trente verront le déclin de l'hôtel-palace, accentué par l'occupation, les Allemands le transformant en caserne avec blockhaus sur son toit. Il faudra attendre la fin des années cinquante pour que le Grand Hôtel revienne à sa destination première, avec une rénovation dans les années soixante-dix.

GRAND HÔTEL
DE DINARD

Limonadier de son état, Monsieur Duvignaud avait compris avant tout le monde l'intérêt de faire construire un hôtel dans la nouvelle station balnéaire de Dinard. Seul établissement luxueux, les familles de qualité s'y retrouveront, bientôt suivies par des personnages célèbres de la cour impériale de Napoléon III. En août 1864, pour la première fois dans la station, une représentation dramatique fut donnée dans la plus grande salle de "l'Hôtel de Dinard". Le Grand Hôtel de Dinard était devenu célèbre ; il sera agrandi en 1869, 1870 et 1879 lors de la grande vogue de Dinard. Chaque été, la ville balnéaire se trouvait envahie par des touristes, en particulier des Anglais.

Dans les années 1880, Dinard, appelé "le petit Biarritz de la Côte Bretonne", devient la station balnéaire française sans rivale de la Manche. En moins de cinq années, les hôtels dinardais ont atteint un confort équivalent à celui des hôtels les plus en vogue en France. Durant la saison, le Grand Hôtel sera le rendez-vous de toutes les bonnes familles de Dinard pour des déjeuners ou des thés, et cela dès les premiers jours du printemps jusqu'à l'automne.

Début 1903, les clients pourront téléphoner ou recevoir des messages au numéro 17 Grand Hôtel de Dinard. Avec le Royal Hôtel, le Grand Hôtel est à cette époque l'hôtel le plus luxueux de Dinard avec ses cent vingt chambres et salons, soixante chambres et salles de bains et ses deux ascenseurs.

Dinard

"En plein midi, dans un grand jardin ombragé sur la baie de la Rance. Panorama splendide. A 100 mètres du casino et adjacent aux tennis. Table renommée. Bar américain. Orchestre. Ouvert de juin à mi-septembre." Les Hôtels de la France, 1938.

35

CRYSTAL HOTEL

En 1892, un riche propriétaire de la région, plein d'originalité, décide de faire construire une grande bâtisse de plusieurs étages "entièrement en verre" et une tour. Appelée Villa Crystal, elle attire rapidement de nombreux touristes : on y verra même en 1894, la belle Méphisto, grande rivale de Sarah Bernhardt, venue découvrir le panorama de la baie de Dinard.

Après six ans de fermeture, la Villa Crystal est entièrement transformée, d'abord en établissement hydrothérapique, puis en 1904, en hôtel des plus élégants. Face au succès, l'année suivante, une aile nouvelle et un jardin d'hiver y seront ajoutés. Il va alors rivaliser avec le Grand Hôtel, l'Hôtel Windsor et l'Hôtel de la Plage. Winston Churchill, très attaché à Dinard, et qui passait auparavant l'été à l'Hôtel des Bains, changera même ses habitudes pour y descendre. Entre 1906 et 1914, le Tout Dinard balnéaire est présent aux concerts donnés au Crystal Hôtel.

Comme tant d'autres hôtels, le Crystal sera transformé en hôpital durant la Première Guerre Mondiale. Le Crystal Hôtel a été malheureusement détruit en janvier 1978 et remplacé par un immeuble.

Dinard

HOTEL ROYAL

En 1901, est lancé le grand projet de construction d'un superbe hôtel à Dinard du même ordre que les Ritz et Continental à Paris, Riviera Palace à Nice, Roches Noires à Trouville.

D'abord appelé l'Hôtel Royal et du Grand Casino de Dinard, le projet en sera confié à l'architecte E. Blanchet. Une publicité s'étale dans les grands journaux parisiens, berlinois et new-yorkais.

Durant des décennies, tout le gotha européen y viendra l'été, avant que cet hôtel-palais ne s'endorme au lendemain de la Seconde Guerre Mondiale et ne soit transformé en appartements.

GALLIC HOTEL

C'est en 1926 que fut annoncée à grand renfort de publicité, la construction d'un grand hôtel de conception architecturale résolument moderne et faisant appel aux techniques dernier cri. Selon ses concepteurs, il est appelé à surpasser tous les autres hôtels de la station, par son confort "up to date" et la qualité de ses réceptions.

Devant être appelé Hôtel Boisfleury, car édifié sur l'emplacement d'une villa de ce nom, il sera finalement baptisé Gallic Hôtel.

Inauguré en juin 1927, le nouveau grand hôtel, premier building de la région avec ses huit étages, disposait de cent cinquante chambres et cent salles de bains. Dans un style avant-gardiste, encore teinté de Belle Epoque, les architectes vont s'attacher à marier les styles anglo-saxon, américain — avec le célèbre American Bar — et l'Art Déco.

Toutefois, encore à cette époque, le Gallic fermait ses portes en septembre, une partie de son personnel, directeur en tête, prenant ses quartiers d'hiver au Carlton à Cannes, pour n'entrouvrir que durant les fêtes de Noël. La réouverture ne s'effectuait qu'à Pâques. Par contre, le Gallic's Bar était ouvert toute l'année.

Rapidement, l'hôtel va attirer les habitués des grands hôtels de Biarritz et de Cannes. Le restaurant fut durant des années le rendez-vous très mondain de la colonie balnéaire de Dinard, d'abord anglaise, puis parisienne, belge et allemande.

La fin des années cinquante va marquer le déclin de la majorité des hôtels de luxe de Dinard, la clientèle aisée préférant descendre dans les palaces méditerranéens rendus plus faciles d'accès grâce aux moyens de transport rapides.

Le Gallic Hôtel fut le plus grand hôtel construit à Dinard durant l'entre-deux guerres. Avec ses 150 chambres et son confort, il surpasse dès son inauguration, les grands hôtels de la station.
Le dépliant touristique insistait sur les 115 salles de bains, les 360 radiateurs, les 6 chaudières et les 2500 lampes électriques.

D'une architecture résolument moderne pour la fin des années vingt, ses concepteurs ont adopté le nouveau style Art Déco qui commençait à faire fureur en Europe, mâtiné d'architecture coloniale, tout en conservant les goûts de la clientèle anglo-saxonne, alors majoritaire à Dinard.

HOTEL LUTETIA

L'9 Hôtel Lutétia, a été un superbe hôtel construit dans les années trente par une entreprise dinardaise, qui d'ailleurs ne sera jamais payée en totalité, la société hôtelière ayant entre-temps fait faillite. Dans le plus pur style Art Déco, cet hôtel idéalement placé en bordure de plage, dans la partie la plus ensoleillée de la station, connaît dès sa mise en service les problèmes de la Grande Crise.

Pourtant, la clientèle bourgeoise parisienne et rennaise continuera de le fréquenter jusqu'en 1956, date à laquelle les propriétaires, trop vieux, le vendront. Le Lutétia sera alors, comme les autres hôtels de Saint-Lunaire, découpé en appartements.

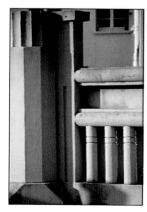

Construit durant l'époque Art Déco,
et reprenant à la lettre
son style architectural,
l'Hôtel Lutétia
connaîtra une gloire éphémère,
car la grande crise
économique des années trente,
puis l'avènement des congés payés,
auront raison de sa réussite.

HOTEL DES ARCADES

En moins de dix ans, deux promoteurs talentueux réussirent à créer de toute pièce une station balnéaire sur une plage de sable fin, sans doute la plus belle de Bretagne. Ainsi de 1922 à 1924, naîtra Sables d'Or-les-Pins à six heures de Paris. A coups d'affiches publicitaires vantant les mérites de cette "nouvelle Corne d'or" et d'évènements spectaculaires, les promoteurs attirent une clientèle nombreuse. Chaque saison voit l'inauguration de nouveaux bâtiments sur les douze kilomètres d'avenues crées. Deux architectes furent les maîtres d'œuvre de la station : Yves Hémar pour le style anglo-normand et Pol Abraham qui dessina une série de bâtiments de style Art Déco. Ainsi, le grand Hôtel des Arcades fut construit à la hâte pour satisfaire les nouveaux estivants : des témoins ont assuré que la construction avait été terminée à la lueur de phare d'automobiles en juillet 1925.

De 1922 à 1932, Sables d'Or-les-Pins atteint son apogée, quand, à la suite de la crise économique et d'une gestion catastrophique, les promoteurs firent faillite. L'Hôtel des Arcades en travaux en vue d'agrandissements ne fut jamais terminé et dû être vendu sous saisie.

Après la Seconde Guerre Mondiale, la station bretonne s'est peu à peu endormie, et le bâtiment Art Déco de l'Hôtel des Arcades n'est jamais revenu à sa destination première.

Etrange station balnéaire qu'est Sables d'Or-les-Pins, où le temps semble s'être brutalement interrompu depuis les années trente. Le grand bâtiment Art Déco qui abritait dans les années vingt l'Hôtel des Arcades, semble abandonné. La grande crise de 1929 a mis fin au développement de cette station spacieuse dont l'homogénéité a toujours intrigué les visiteurs.

Sables d'Or
les Pins

DE L'ATLANTIQUE

GRAND HOTEL

Arcachon

onstruit en 1866 sur les plans de l'architecte Regnauld, le Grand Hôtel fait, selon le Domaine de la Société Immobilière d'Arcachon, "l'admiration de tous les étrangers par son aspect grandiose et son luxe intérieur". Unique dans la région, l'hôtel attire rapidement une clientèle aristocratique et riche, dans cette ville balnéaire moins "agitée" que Biarritz, alors atteinte de la fièvre de la construction.

On y compte cent chambres avec chacune un cabinet de toilette. Les salles de restaurant, les salons de lecture, de jeu, de famille, le vestibule et le grand hall, alors appelé salle des pas-perdus, "décorés avec infiniment de goût, sont fort remarquables".

Au début du siècle, l'hôtel de luxe, appartenant à Léon Lesca, s'est considérablement agrandi. Le Grand-Hôtel aligne maintenant trois cents chambres, un immense hall, des salons de vingt-cinq mètres de long, dix de large et huit de haut, un restaurant d'hiver, un restaurant vitré d'été, plusieurs terrasses, un ascenseur, un établissement balnéaire et d'hydrothérapie, et une "salle de garage automobile". Ses dimensions et son luxe en "faisaient un des plus beaux, des plus spacieux, des plus fastueux hôtels du Sud-Ouest". Durant quarante années, toute l'aristocratie européenne y viendra une fois au moins, tant pour le climat que pour y retrouver des connaissances habitant dans les grandes villas de la ville d'hiver.

Dans la nuit du jeudi au vendredi 21 septembre 1906, le feu se déclare au Grand-Hôtel et le détruit complètement. "C'est le plus grand malheur industriel qui put atteindre la ville d'Arcachon" pourra-t-on lire dans l'Avenir d'Arcachon du 23 septembre. "Espérons pour notre pays que cette perte ne sera pas irréparable et irréparée, notre vitalité urbaine en serait irrémédiablement atteinte".

Deux ans plus tard, une société d'exploitation hôtelière est créée se proposant de construire une nouvel hôtel de cent-vingt chambres avec tout le confort moderne. Après quelques péripéties, le Grand-Hôtel fut finalement rebâti et fonctionna jusque dans les années cinquante où il fut vendu en appartements. Mais le Grand-Hôtel d'Arcachon avait irrémédiablement disparu lors de son incendie.

Bâtiment quadrangulaire de grandes proportions, le Grand-Hôtel est resté durant quarante années l'hôtel le plus luxueux et le plus vaste de toute la région. Il fut successivement dirigé par les grands directeurs de l'époque.

"Tout y était monumental, (......) 300 chambres et des salons meublés luxueusement même aux étages, en faisaient un des plus beaux, (......) des plus fastueux hôtels du Sud-Ouest". L'Avenir d'Arcachon, septembre 1906.

ARCACHON

HOTEL DU PALAIS

Tout commence en 1854 quand le couple impérial, Napoléon III et sa femme Eugénie de Montijo, achète un terrain face à la mer pour y construire en un temps record, moins de dix mois, une grande villa d'été avec dépendances, casernements et parc. Durant seize années, le couple impérial ne manquera jamais son rendez-vous avec Biarritz, assurant définitivement le succès de la station balnéaire du second Empire.

En 1867, la villa Eugénie est rehaussée d'un étage et transformée pour acquérir sa forme définitive en E (un corps principal avec trois ailes perpendiculaires, la dernière plus courte formant une cour d'honneur), et prend le nom de Palais d'été. A son décès, l'empereur laissait à Eugénie ce palais, mais ne souhaitant pas revenir au Pays basque, celle-ci le vendit en 1880.

Il fut racheté par une banque qui le transforma en hôtel-casino appelé Palais-Biarritz inauguré en juillet 1881, puis en 1893 en hôtel sous le nom d'Hôtel du Palais. La Belle Epoque est à son apogée et les cortèges des têtes couronnées de l'Europe entière s'y bousculeront. C'est à cette époque, qu'en octobre, s'ouvrira la "saison russe", en présence de tous les Grands Ducs de Russie : le champagne coulera littéralement à flot.

Lors de la rénovation de l'Hôtel du Palais, l'ossature en béton armé permettra à "l'architecte des palaces" Edouard Niermans (1837-1928), la surélévation du bâtiment, le béton étant camouflé par un décor plaqué de briques et pierres, agrémenté de bustes sculptés placés dans des niches, et de médaillons en relief.

Le 1er février 1903, l'Hôtel du Palais est la proie des flammes. Il sera aussitôt reconstruit : un groupe de professionnels de l'hôtellerie, avec le concours de l'architecte des palaces Edouard Niermans, va concevoir un nouvel hôtel dans le style néo-Louis XIII. Il s'attache à conserver les murs extérieurs en bon état, à créer de vastes salons et salles de restaurant, avec autour quelques trois cents chambres, en adjoignant une aile supplémentaire, afin de donner à l'établissement l'aspect d'un palace international.

Durant la Grande Guerre, le palace sera transformé en hôpital. Il retrouvera cependant sa clientèle, avide de renouer avec la joie de vivre après cinq années de cauchemar, ce sera alors le temps des Années Folles. Les habitués mêlés aux nouveaux clients fortunés danseront à nouveau dans les salons dorés.

Jusqu'à nos jours, l'Hôtel du Palais réussit à drainer une clientèle cosmopolite.

L'hôtel du Palais transformé par l'architecte Niermans en 1904, est particulièrement représentatif des grands hôtels de la Belle Epoque. L'architecture retrouve ici les styles du XVIIe siècle, avec le mariage de la brique et de la pierre à l'image de la cour d'honneur du château de Versailles et du XVIIIe siècle pour la décoration intérieure des salons et du hall.

GRANDS HOTELS
DE LA
MEDITERRANEE

Durant le milieu du XIXᵉ siècle, profitant du développement du chemin de fer, Hyères se transforma en ville balnéaire, en même temps que Cannes. Déjà connue pour son micro-climat, le tourisme d'hiver transformera la ville en station réputée : Hugo, Michelet, Maupassant, Tolstoï, Stevenson, la reine Victoria et toute l'élite anglaise la fréquentèrent. Aussi pour la "station la plus au sud de la Côte d'Azur", fallait-il des hôtels à la hauteur de cette clientèle.

Pendant ce temps, les Alpes-Maritime devenant françaises en 1860, la France s'enrichit d'une nouvelle côte, La Riviera et de deux villes, Nice et Menton, rapidement devenues stations balnéaires de première importance. Elles entrent alors en concurrence avec Cannes, la "reine" des villes d'hiver. Cet événement politique associé à un événement cette fois économique, l'arrivée du chemin de fer à Nice dès 1864, et à Menton en 1869, sera le point de départ d'une "explosion" hôtelière qui marquera à jamais la Riviera.

Les architectes se surpassent pour offrir des hôtels-palais, puis hôtels-palaces, dans un premier temps à une aristocratie européenne souhaitant retrouver le cadre de vie et le confort de ses résidences habituelles, puis à une grande bourgeoisie d'affaires aspirant à l'opulence et au paraître. Dans cette course au luxe et à la grandeur architecturale, Saint-Raphaël, station très mondaine, faillit d'ailleurs éclipser Cannes en ce début de siècle. En 1900, Menton, station hivernale, compte une cinquantaine d'hôtels construits dans une nouvelle ville, située sur d'anciens vergers devenus parcs. Les plus beaux et grands hôtels se trouvent dans les collines pour profiter au maximum du soleil sans avoir à "souffrir du grondement monotone des vagues et de l'impression d'humidité du bord de mer".

A la différence de celle de Cannes, la clientèle aristocratique préférant mener une vie calme, se retire dans les grands hôtels des collines de Nice au Mont Boron, à Carabacel et surtout à Cimiez : ainsi entre 1892 et 1911, neuf grands hôtels y sont construits, du Riviera au Majestic. La clientèle devenant de plus en plus exigeante sur le choix des hôtels-palais, le luxe s'amplifie, et le nombre de grands hôtels ne cesse d'augmenter.

Toutefois, la Première Guerre Mondiale éteindra de façon irrémédiable la vie de ces monuments architecturaux : les grands hôtels n'y survivront pas, et sur les collines de Nice, Menton ou Cannes, les hôtels-palais déclineront peu à peu, la clientèle préférant désormais les établissements de bord de mer, la saison d'été ayant pris le pas sur celle d'hiver.

Les hôtels-palais feront place dans les années vingt aux hôtels-palaces de la Promenade des Anglais à Nice et de la Croisette à Cannes et des différents caps qui se succèdent de Golf-Juan à Menton. Alors, la frénésie des splendides hôtels s'emparera à nouveau des promoteurs qui n'hésiteront pas à construire dans des sites jusqu'alors oubliés comme la Côte des Maures ou de l'Estérel.

GRAND HOTEL DES ILES D'OR

A partir de la seconde moitié du XIXe siècle, avant le développement du chemin de fer, le tourisme d'hiver transformera Hyères en station réputée, et les hôtels seront construits en grand nombre.

Ce sont des investisseurs étrangers à la région qui, voulant imiter ce qui se faisait de plus confortable en Angleterre et en Suisse, vont construire plusieurs grands hôtels dans Hyères. Entre 1850 et 1860, seront alors érigés le Grand Hôtel des Iles d'Hyères, le Grand Hôtel du Parc, le Grand Hôtel du Louvre, mais surtout le Grand Hôtel des Iles d'Or. On insistait alors sur le fait qu'il était tenu et administré "à la manière suisse", avec ses chambres au midi, une série de salles de bains et un médecin attaché à l'établissement.

Un somptueux casino est même construit en 1854 pour occuper la riche clientèle passant plusieurs mois de l'année dans cette ville. Clémenceau, Hugo, Michelet, Maupassant, Renan, Prudhomme, Taine, Tolstoï, Stevenson et la reine Victoria entraînant toute l'aristocratie britannique y séjournèrent.

"En voyant cette maison de princière apparence, l'étranger comprend qu'il arrive dans une sorte de terre promise où la belle place lui est gardée. Cet hôtel, on dirait volontiers un palais, n'est pas seulement un décor, comme tant de résidences italiennes, il constitue une petite ville dans la ville" Amédée Aufreuve.

GRAND HÔTEL
DES PALMIERS

Le Grand Hôtel des Palmiers fait partie de la deuxième série d'hôtels érigés dans les années 1880 comme les Grands Hôtels de Costebelle et de l'Hermitage (qui accueilleront d'ailleurs en 1892 la reine Victoria), et le Grand Hôtel d'Albion ouvert en décembre 1886.

D'un classicisme architectural propre à cette fin de siècle, il recevra durant des dizaines d'années une clientèle cossue, rassurée par les lourdes draperies et larges fauteuils en velours. Dans les vastes

jardins seront à la disposition de ses hôtes, un lawn-tennis, un terrain de croquet et un gymnase. En 1924, le Grand Hôtel des Palmiers dispose de 150 chambres.

Hyères

San-Salvadour, c'est à la fois le triomphe de l'éclectisme architectural, avec une liberté qui surprendra à l'époque, et un classicisme monumental typique du goût représentatif de cette fin du XIXe siècle.

ĦOTEL SAN-SALVADOUR

La tradition locale aurait voulu que l'hôtel, auparavant château, ait été construit pour l'impératrice Eugénie. En réalité, tout commença quand un industriel belge fit construire en 1869 un château avec un grand bassin. Entre-temps ruiné, il le revend à Edmond Magnier, le directeur de l'Evénement, qui termine la construction et la décoration sans changer les plans primitifs.

Homme politique, Edmond Magnier se lance dans des opérations financières douteuses : condamné et ruiné à son tour, il se sépare du château.

Aussitôt acquis par le Crédit Foncier, la demeure est cédée à Sœur Candide qui fait construire un hôtel de grand luxe contre le château, et un sanatorium au bord de la mer. C'est à partir de cette époque qu'une clientèle de luxe commence à fréquenter ce palace, pour son "bon air, l'exposition exceptionnelle et sa source d'eau lithinée".

Si, pour le château, les architectes s'étaient appliqués à allier différents styles, allant du néo-baroque avec le monumental salon, des salles de réception en XVIIIe anglais, à une bibliothèque à décor gothique, pour l'hôtel, le style sera résolument copie du XVIIIe siècle français.

Pourtant les affaires de Sœur Candide, du moins financières, deviennent vite catastrophiques, puisqu'elle est condamnée à un an de prison en 1909, et l'hôtel et la propriété sont à nouveau vendus. L'hôtel continuera de fonctionner jusqu'en 1918, date à laquelle il est occupé par la Croix-Rouge américaine.

En 1922, les clients disparus, la ville de Paris se rend acquéreur du San-Salvadour pour créer un hôpital pour enfants géré par l'Assistance Publique. Le mobilier, et une partie des éléments du décor, sont vendus aux enchères.

"Au rez-de-chaussée, digne d'un palais de rajah, des salles immenses ornées de cheminées monumentales et de statues, (...) reçoivent à pleines baies le jour et le soleil. Sous ses hauts plafonds et ses superbes lambris, la cour d'un souverain tiendrait aisément. Dans un immense atrium, un escalier monumental formant terrasse en son sommet, mène aux appartements supérieurs." Hyères et ses environs, Amédée Bodinier.

En 1865, la nouvelle station d'Hyères disposait de 600 chambres dans une dizaine d'hôtels, en majorité luxueux. Dans les années 1880, seront construits avec des capitaux anglais l'Hôtel de l'Hermitage, puis l'Hôtel de Costebelle, réunis par la suite. Non loin de là, en décembre 1886, le superbe Hôtel d'Albion est par la suite érigé, pour être complètement réaménagé début 1892, en y ajoutant de luxueux appartements. Cet ensemble de grands hôtels sera pourvu d'un confort encore inconnu dans cette région : les 250 chambres et salons disposaient tous du chauffage central et de l'électricité, les hivernants bénéficiaient d'un téléphone (0-31), d'une bibliothèque de 5000 volumes, d'une salle de bal avec une rotonde vitrée où se produisaient des orchestres réputés, et même d'un ascenseur réservé aux seuls bagages. A partir de 1892, les hôtels et la ville se mettent à l'heure anglaise, la reine Victoria séjournant aux Grands Hôtels de Costebelle. La clientèle des hôtels hyérois n'est plus composée que d'Anglais, et ce jusqu'à la Première Guerre Mondiale.

Situé à l'est de la ville, le Golf-Hôtel offrait à sa riche clientèle 300 chambres dont 60 avec bains. Au milieu du vaste domaine de l'hôtel, se trouvait un centre sportif avec un golf de dix-huit trous, quatre courts de tennis et cinq de croquet. Cet établissement sera détruit en 1944, dans les combats.

HOTEL DE LA RESIDENCE DU VAL D'ESQUIERES

Avec le "boom" des Années Folles, et l'engouement nouveau de la bourgeoisie pour des vacances estivales dans le sud de la France, les promoteurs et sociétés immobilières ont rapidement perçu l'intérêt de construire des hôtels-palaces le long de la Côte des Maures, et de l'Estérel, région encore peu pourvue de ce type d'hôtels. Aussi, non loin de Sainte-Maxime, dans le quartier des Issambres, face à la mer et près de la plage, fut-il décidé de bâtir un établissement d'une centaine de chambres superbement équipé.

Construit en 1930 dans le plus pur style Art Déco, sur les plans de l'architecte René Darde, l'Hôtel de la Résidence comprenait 110 chambres et 60 salles de bains. La décoration intérieure réalisée par Robert Lallemant, reprenait le style paquebot avec de larges halls, couloirs dans les tons rose, jaune, vert et bleu, et façade de couleur ocre, typique du style néo-régional.

Malgré la crise économique, le palace du Val d'Esquières accueillit les célébrités de son temps, comme le roi du Maroc, Mohammed V. Et les manifestations mondaines s'y succédaient durant tout l'été : courses nautiques et automobiles, concours d'élégance, et défilés de mode.

C'est aujourd'hui un centre de vacances, mais sur la façade de couleur ocre, les pins parasols se découpent toujours.

Cet hôtel-palace, modèle de l'architecture néo-régionale du Var, fut bâti pour attirer un clientèle riche sur cette côte où n'existait pas d'hôtel de luxe. Le palace du Val d'Esquières accueillit les célébrités de son temps, et selon la légende, c'est sur la plage de l'hôtel que fut lancé un sport nouveau en France en 1935, le ski nautique.

"Il (l'hôtel) a été construit dans un très beau site de la Côte des Maures pour les hivernants et les estivants qui viennent dans la région pour s'ensoleiller (sic), en plein midi, avec de larges baies et des balcons et loggias pour bains de soleil. (...) La cuisine et toutes les dépendances sont de plain-pied avec la salle à manger, facilitant ainsi le service, avec un tambour d'amortissement va et vient, pour éviter les odeurs et les bruits. (......) Sur toute la longueur de la façade principale, une superbe terrasse de cinq mètres de largeur, est abritée par une tente, qui en fait une véritable salle d'été où les déjeuners sont servis." L'Architecte, recueil mensuel de l'art architectural, novembre 1931.

GRAND HÔTEL

L e Grand Hôtel de Saint-Raphaël fut inauguré en grande liesse le 4 mars 1880. Enfin cette ville de bord de
mer allait pouvoir disposer d'un hôtel de luxe destiné
à une riche clientèle. Surplombant la rade, le bâtiment bénéfi-
ciait d'une superbe vue avec un parc où les hivernants pouvaient se reposer à l'ombre des dais d'un kiosque.

En 1888, l'hôtel est agrandi avec la construction de deux
pavillons et de deux ailes supplémentaires, dans le même
style architectural. La présence de cet hôtel de luxe amènera
la construction de nombreuses villas alentour.

Durant la dernière guerre, il fut réquisitionné par les
Allemands, puis par les Américains. De nos jours, le Grand
Hôtel est la propriété de la Fondation Gulbenkian et abrite
une maison de retraite arménienne.

De taille relativement modeste,
l'Hôtel de la Plage est un exemple
architectural intéressant où se mêlent
le classique du XVIIIe siècle
et l'Art Nouveau.
Quatre demi-tours
donnent à la façade
un mouvement original.

HÔTEL DE LA PLAGE

Situé au cœur de Saint-Raphaël sur la promenade face à la mer, l'Hôtel de la Plage (appelé aussi Hôtel de la Plage et de Paris), construit sur les plans de l'architecte Marsil, fut inauguré le 1er août 1914. Malgré la guerre déclarée au même moment, il ne fermera pas ses portes. Dans l'entre-deux guerres, bien qu'il fût ouvert toute l'année, ses cinquante chambres ne désempliront jamais, accueillant un clientèle bourgeoise. Pendant la Seconde Guerre Mondiale, l'hôtel est successivement occupé par les Allemands, puis par les Américains.

Après la guerre, sa situation dans la ville face à la mer lui permettra d'assurer une continuité jusqu'à ce que ses propriétaires, trop vieux, ne soient obligés de le vendre. Aussi en 1978, il fut racheté par la Caisse des Cadres et sa façade restaurée avec soin.

GOLF-HOTEL VALESCURE

Après la Première Guerre Mondiale, un hôtelier suisse, Stéphen Liègard décidait de racheter une très belle villa appartenant à une princesse anglaise, devenue allemande par son mariage. La Villa Libéria, déjà hôtel en 1905, qui avait été transformée en résidence privée, possédait quelques soixante chambres s'ouvrant sur une large terrasse, avec la mer au loin.

En 1924, l'énorme résidence sera profondément remaniée, des étages ajoutés, le tout dans le style néo-régional varois, l'hôtel comptant alors plus de cent chambres, toutes avec salle de bains. L'inauguration eut lieu le 14 février 1925 en présence d'une foule élégante servie par quatre-vingt employés.

De nombreuses personnalités séjournèrent dans cet hôtel, y recherchant le calme et le superbe golf de Valescure, Lord Mountbatten, le duc de Windsor, Léopold de Belgique, le prince Bertil de Suéde, le roi Umberto d'Italie, André Maurois, Léon Blum, Laurel et Hardy...

Plusieurs fois transformé, cet énorme hôtel a été vendu et divisé en appartements en 1978.

Construction massive dans le style néo-régional varois, le Golf Hôtel a été construit durant les Années Folles en 1924 : les coloniaux anglais accompagnés de leurs serviteurs hindous et de riches Sud-Américains vont rapidement devenir la clientèle privilégiée du Golf Hôtel.

Saint
Raphaël

Cannes

HÔTEL DE LA CALIFORNIE

Situé à cent mètres au-dessus de la mer, comme l'annonçait un dépliant publicitaire, l'Hôtel de la Californie est érigé en 1876, reprenant le nom du quartier, alors vide de toute habitation. En 1913, le bâtiment d'origine est agrandi de deux ailes latérales, surélevé dans sa partie centrale, et enfin doté de tous les équipements modernes. L'hôtel comprenait alors 250 chambres.

De composition architecturale néo-classique, l'Hôtel de la Californie, maintenant résidence, aligne majestueusement ses 130 mètres de façade et ses 6 étages, agrémentés d'un riche décor sculpté.

Face au sud et loin de la mer, dans la meilleure tradition des hôtels-palais de la fin du siècle dernier, l'Hôtel de la Californie voit sa façade néo-classique enrichie de caryatides soutenant les balcons, tandis que médaillons et palmes ornent toujours les espaces entre les fenêtres des étages supérieurs.

A la Belle Epoque, les architectes durent se conformer aux exigences de l'hôtellerie. Les hôtels de 100 à 200 chambres devaient offrir à la clientèle hivernale le luxe et le confort. Ce programme conditionnait alors tant l'architecture intérieure qu'extérieure. Intérieure car il fallait un nombre appréciable de chambres, salons et appartements, ainsi que des pièces pour la domesticité qui accompagnait les familles, mais encore de vastes halls, salons de réception, ainsi que de nombreux services pour assurer le bien-être des hivernants.

HOTEL GALLIA PALACE

A l'origine, l'énorme Hôtel Gallia fut édifié sur les soubassements du Casino des Fleurs édifié en 1888. Avec une façade de cent mètres de long, cet hôtel-palais fut dessiné par l'architecte Louis Hourlier, dans un style très éclectique. En effet, l'hôtel comprenait un corps central de style XVIIIe, précédé par une grande verrière en rotonde, très jardin botanique d'hiver anglais XIXe, encadré par deux énormes tours rectangulaires surmontées de dômes. Cet ensemble très original pour un hôtel, rompait avec le style de la Belle Epoque, tout en restant néo-classique.

Au début de ce siècle, Henri Ruhl décide de faire édifier à Cannes, alors très en vogue parmi l'aristocratie, un hôtel-palace pouvant recevoir tant la noblesse britannique que l'aristocratie russe. Le Grand Duc Vladimir de Russie apportera d'ailleurs son concours financier.

Les architectes retenus seront Charles Dalmas, niçois élève de Charles Garnier qui n'en était pas à son premier palace, et l'architecte cannois Marcellin Mayère. Ils imaginent une immense construction blanche de 230 mètres de long, à l'emplacement de l'ancien Hôtel de la Plage. Pour donner du mouvement, deux tourelles d'angle surmontées de coupoles y seront ajoutées. Selon la légende, la forme de ces coupoles fut inspirée à Dalmas par les seins de la Belle Otéro, l'illustre égérie du siècle dernier.

Ce géant est construit en deux temps, de 1909 à 1910 d'abord, puis de 1912 à 1913, et aura été inauguré entre-temps en 1912. Toutefois, après d'excellents débuts, le Carlton avec ses 335 chambres et appartements, sera partiellement transformé en hôpital

Le Carlton précédait le Négresco de Nice de deux années. Aujourd'hui, cet énorme palace emblématique compte 355 chambres et appartements, où se sont succédées des légions de stars et de personnalités, passant sous le grand porche à colonnes de marbre rose.

Immense hôtel-palace, le Carlton est construit en 1911 par les architectes Charles Dalmas et Marcellin Mayère. Il compte trois cent cinquante chambres et appartements. Les proportions de la salle à manger à colonnades de style rococo frappent les visiteurs.

durant la Première Guerre Mondiale : Blaise Cendrars y fut soigné. Mais l'hôtel-palais perdra à partir de 1917 sa clientèle russe ruinée par la Révolution d'Octobre. Les affaires iront si mal qu'en 1919, il est mis en vente pour un million de francs, ce qui ne correspondait même pas au remboursement des dettes de sa direction.

Racheté, le Carlton retrouve peu à peu ses riches clients et abrite même en janvier 1922 le premier conseil suprême de la Société des Nations, destiné à instituer une paix durable dans le monde. Lors de cette réunion, un journaliste italien, Benito Mussolini jugé indésirable car trop bruyant, sera expulsé. Les années vingt verront le Carlton recevoir les grands de ce monde et la plupart des têtes couronnées.

Au mois d'août 1930, les dirigeants de la société du Carlton prennent le risque de fermer leurs hôtels de Dinard et de Cabourg, conservant ouvert celui de Cannes. Car jusqu'à cette date, les villes balnéaires de la Côte d'Azur n'étaient que des stations d'hiver.

Ce redoutable pari, imité par d'autres palaces de la région sera une réussite, et depuis cette date, le Carlton reste ouvert toute l'année.

En 1935, le Carlton est considéré comme "the best hotel for the best people", et les personnalités s'y pressent, des maharadjahs aux financiers internationaux, en passant par les acteurs de cinéma et les aristocrates de l'Europe entière.

Durant la Seconde Guerre Mondiale, malgré les restrictions, le palace-hôtel continue à fonctionner. Il devient alors le lieu de rendez-vous favori des agents secrets de tous bords et des membres de la Résistance.

En août 1944, les Alliés débarquent en Provence, et l'hôtel qui a fermé ses portes deux mois, voit deux étages attribués aux officiers américains. Aussi pour faire oublier la guerre, les fêtes succéderont aux spectacles avec Maurice Chevalier et Mistinguett.

Dans l'immédiat après-guerre, en septembre 1946, un évènement va changer la physionomie de Cannes, le tout nouveau Festival de Cannes. Chaque fois qu'il sera fait état du Festival, ce sera devant le Carlton ou sur sa terrasse, liant ainsi le palace avec les plus grands évènements cinématographiques. Depuis cette date, le Carlton est le lieu de rencontre privilégié du réel et de l'imaginaire.

Les trois façades sont animées d'avancées, — balcons, balconnets et avant-corps —, agrémentées de parements verticaux de briques. Les encadrements des ouvertures, les corniches et les frontons en attique sont ornés de décors stuqués.

HOTEL MAJESTIC

L e 30 novembre 1920, une société immobilière parisienne rachetait l'Hôtel Beau Rivage à Cannes. Trois ans plus tard, l'hôtel est démoli et grâce à l'un des pionniers de l'architecture des Années Folles, Henri Ruhl, la construction du Majestic est décidée. Sur les plans de l'architecte Théo Petit, l'hôtel immense à l'angle de la rue des Serbes et du boulevard de la Croisette, fut considéré, dès son inauguration, le 1er février 1926 après dix-huit mois de travaux, comme l'un des palaces les plus modernes de la Côte d'Azur.

Lors de son lancement, le Majestic profite de l'extrême engouement pour la Riviera des riches étrangers, en majorité américains et anglais, vite rejoints par les personnalités du monde du spectacle. Actuellement, le Majestic compte 287 chambres dont 25 suites.

HOTEL MARTINEZ

A l'époque où la Côte d'Azur n'est fréquentée que durant l'hiver, Emmanuel Martinez décide avec plusieurs autres directeurs d'hôtels de Cannes à Nice d'ouvrir son hôtel l'été. L'hôtel qui prit son nom, eut sa première pierre posée en décembre 1927, et ouvrit ses portes le 20 février 1929.

Superbe, sur le boulevard de la Croisette, luxueux, une clientèle prestigieuse le fréquentera jusqu'à la Seconde Guerre Mondiale. Dans les années cinquante et soixante, le festival cinématographique lui donne un souffle nouveau assurant la présence des nouvelles célébrités du septième art.

Rénové dans les années quatre-vingt, le Martinez a conservé son architecture et sa décoration Art Déco d'origine, en particulier dans les différents halls et chambres, mais surtout dans la salle de restaurant avec le mobilier et l'argenterie d'époque.

HOTEL MIRAMAR

Devant le succès des hôtels-palaces de la Riviera durant les Années Folles, l'hôtelier Bermont décidait de construire un grand établissement pour concurrencer ceux de la Croisette. Connaissant le projet de construction de l'Hôtel Martinez, l'hôtelier charge l'architecte parisien Lizero de bâtir le plus rapidement possible un énorme palace de 300 chambres. Moins d'un an après la pose de la première pierre, l'Hôtel Miramar est ouvert fin décembre 1927, pour être officiellement inauguré le 4 janvier 1928.

La crise économique passée, le Miramar va attirer comme ses concurrents une riche clientèle, adorant les grandes colonnes de marbre du hall, et son restaurant sur la Croisette. Directement des chambres, les estivants pouvaient se rendre, à partir des sous-sols du palace, sur la plage privée du Miramar, en passant par deux tunnels.

Durant la guerre, il sera successivement réquisitionné par l'armée italienne, allemande, et enfin américaine.

Devant les 500 millions de remise en état après le départ de ces derniers, et le refus de l'Etat d'en donner une partie, le propriétaire va vendre par tranche son hôtel, à partir de 1946.

Ainsi jusqu'en 1952, le Miramar continuera d'accueillir des clients, tout en devenant une résidence.

Enorme construction d'angle, le Miramar, s'il ne brille pas par une architecture novatrice, en impose par ses dimensions. Avec ses sept étages, et ses trois cents chambres, il était le plus grand hôtel de Cannes, sinon le plus luxueux.

HOTEL PROVENCAL

Dans les années vingt, la municipalité de Juan-les-Pins, désespérée de voir la riche clientèle fréquenter le Grand Hôtel du Cap, mais non la nouvelle station, décide avec Frank Jay Gould, homme d'affaires américain et richissime "hivernant" de la station, de la construction d'un palace dans la pinède face à la mer. En juin 1926, la première pierre de l'Hôtel Provençal est posée.

Un an plus tard, sous la direction de l'architecte Lucien Stable, c'est l'inauguration de la première partie de l'hôtel devant comprendre à terme deux cent quatre-vingt chambres dont une vingtaine d'appartements.

Fin juin, J.E. Pacciarella, auparavant directeur de l'Hôtel de la Californie à Cannes, puis du Grand Hôtel d'Houlgate, prend la direction du palace. Il réussit à attirer la clientèle internationale, en particulier la colonie américaine de Paris qui commençait à se lasser de Deauville et de son climat capricieux.

Durant la Seconde Guerre mondiale, l'énorme hôtel reste fermé et à la Libération il devient pour un temps, centre de repos pour les troupes américaines.

Depuis 1977, il est fermé, sous bonne garde, tout le mobilier et l'argenterie ensevelis sous la poussière.

D'innombrables galas animeront ce palace,
envahi dès le printemps
par la colonie américaine de Paris,
fuyant en ces Années Folles
le climat plus humide de Deauville.
Malheureusement, dans les années soixante-dix,
le Provençal s'est endormi, son mobilier d'époque
recouvert de poussière et de souvenirs.

Dans les années trente,
le Provençal connaîtra ses grandes heures,
grâce à l'évocation qu'en fit Scott Fitzgerald,
y décrivant la vie de richissimes américains
en vacances à Juan-les-Pins.

Superbe hôtel Art Déco,
gardant le style néo-provençal,
le Provençal attirera durant des années
tout le gotha international en mal de palaces.
Il fera d'ailleurs concurrence
avec le Grand Hôtel du Cap situé
à quelques kilomètres au cap d'Antibes.

La station balnéaire de Juan-les-Pins, créée en 1882,
acquit sa célébrité dans les années trente avec la présence
de stars de cinéma, d'écrivains et d'hommes politiques.

GRAND HOTEL DU CAP

C'est en novembre 1861, que le banquier anglais, Sir James Close, découvrit le merveilleux site du cap d'Antibes. Suivant son exemple, plusieurs grands bourgeois de Paris, y feront construire de somptueuses demeures de villégiature.

Parmi eux, Hippolyte de Villemessant, fondateur et directeur du Figaro et Adolphe d'Ennery, auteur, célèbre à l'époque, des Deux Orphelines, inaugureront en février 1870 la Villa Soleil. Celle-ci devait être un asile pour artistes dans le besoin.

Moins de six mois plus tard, elle est abandonnée pour cause de guerre franco-prussienne et transformée en hôtel de luxe, prenant le nom de Grand Hôtel du Cap d'Antibes. Une société civile vient d'en prendre le contrôle, dirigée par l'élite de l'aristocratie russe, en particulier le prince Galitzine et le comte Pleschéyeff.

Toutefois, la prospérité tardant à venir, les Russes baissent rapidement les bras. Les gérants successifs de cet hôtel connaîtront tour à tour la faillite.

Pourtant les travaux continueront, visant à l'agrandir et le moderniser, — la Belle Epoque commence —, car les clients vont arriver. Fin 1893, le nouveau Grand Hôtel est terminé. Il dispose

l'été. En effet, dès la fin du mois d'avril, la clientèle hivernale fuyait la Côte d'Azur pour les plages du Nord. Aussi pour préparer la saison d'été 1914, il décide de faire creuser une piscine, remplie d'eau de mer, dans les rochers non loin de l'hôtel, appelée Eden-Roc. La Grande Guerre mettra en sommeil ses idées, jusqu'à ce que l'armée américaine loue le Grand Hôtel du Cap pour le repos des infirmières. Le succès de la piscine et des bains de soleil pour ces jeunes filles, ne fera que confirmer ses prévisions.

Aussi, l'hôtelier décide dès 1919 d'ouvrir le palace durant l'été. Toutefois ses prédictions mettront quelques années à se

de soixante chambres équipées du chauffage central, de l'électricité et de l'eau chaude dans toutes les salles de bains.

L'inauguration en février de l'année suivante marquera la vie de la station balnéaire. Après le souper à la lumière électrique, les invités, — des personnalités locales et des actionnaires —, découvrent le jardin de l'hôtel illuminé jusqu'à la mer. La fée électricité colonise les rives de la Méditerranée.

C'est le jeune gérant, Antoine Sella, devenu ensuite propriétaire, qui donnera vie à ce superbe hôtel.

A partir des années 1900, une clientèle fortunée commence à y séjourner régulièrement; toutefois Antoine Sella tenait toujours à sa grande idée, encore révolutionnaire : ouvrir son hôtel

réaliser, — il est difficile de faire changer des habitudes à une clientèle —, et ce n'est que durant l'été 1923, particulièrement pluvieux sur les côtes du Nord de la France, que celle-ci découvrira le charme du climat méditerranéen.

Dix ans plus tard, le Grand Hôtel deviendra célèbre dans la littérature, grâce à Scott Fitzgerald dans "Tendre est la nuit".

Ainsi, durant chaque saison d'été sur la Côte d'Azur, le gotha international se donnera rendez-vous au Grand Hôtel du Cap ; à partir des années cinquante, il sera également fréquenté par les stars du cinéma américain.

Actuellement, cet hôtel prestigieux est considéré comme l'un des plus beaux fleurons de l'hôtellerie internationale.

EXCELSIOR HÔTEL REGINA

Devant le succès de son premier établissement niçois, le Riviera Palace, le banquier Henri Germain associé à un parfumeur de Grasse, Antonin Raynaud, décide d'élever un hôtel qui, par son luxe et sa taille, surpassera tous les autres.

Placé sur la colline du Cimiez dominant Nice, le creusement des fondations de l'Excelsior Regina débute en 1895. L'édifice gigantesque, de cinq à sept étages, possède une façade de 200 mètres de long permettant à plus de 250 chambres, sur les 400 au total, de s'ouvrir face au sud. De plus, l'hôtel compte un grand hall, six salons, trois salles à manger, plusieurs restaurants, une salle des fêtes et quelques 233 salles de bains. Au total, trois ascenseurs desserviront les étages.

La silhouette monumentale du Regina domine toujours la colline de Cimiez, malgré les années qui ont quelque peu marqué de rouille les structures de fer, les innombrables balcons et colonnes de fonte de la marquise d'entrée.

Le célèbre et imposant palace-hôtel Excelsior Hôtel Regina, sur la colline de Cimiez, avec la statue de la reine Victoria placée devant le jardin de l'hôtel.

Quinze mois plus tard, l'hôtel est inauguré en présence de la reine Victoria. D'ailleurs, la souveraine britannique y séjournera trois saisons de 1897 à 1899, amenant chaque fois meubles, bagages et serviteurs dans ses appartements, situés dans l'aile gauche de l'hôtel.

Après la Première Guerre Mondiale, la renommée du Regina va décliner, la clientèle devenant de plus en plus exigeante devant le nombre d'hôtels-palais construits le long de la Riviera. Plusieurs fois rénové, il finira par être fermé, puis divisé en appartements.

Les séjours de la reine Victoria de 1897 à 1899 à l'Excelsior Regina seront bien sûr évoqués dans la presse locale, sa présence donnant lieu à d'imposantes manifestations de la part des nombreux Anglais assemblés pour l'occasion dans les jardins de l'Excelsior. La présence de cet hôte illustre attirera bien sûr une nombreuse clientèle fortunée adorant résider dans un tel palace où séjourne une altesse royale. Très populaire, la souveraine anglaise se promenait dans une minuscule calèche tirée par son poney Jacko, entourée de serviteurs écossais et indiens en costume traditionnels.

EXCELSIOR HÔTEL REGINA

Les clients du Regina pénétraient
dans l'hôtel par un hall immense,
recouvert de marbre terminé
par un escalier non moins imposant
à double révolution.
En enfilade du hall, on compte une suite
de salons et de salles, tous desservis
par une galerie-promenoir.
Dans l'autre aile du Regina,
un grand jardin d'hiver termine
la salle des fêtes et de réceptions.

"De cette marquise, svelte, élégante et hardie, on accède
par quelques marches en marbre à une immense galerie
vitrée, communiquant d'un côté avec les splendides terrasses qui dominent le parc et de l'autre, avec le grand
hall de l'hôtel du plus pur style Louis XVI"... Excelsior
Hôtel Regina, Louis Enault, Nice 1897.

A chaque étage, seront prévus
des chambres-appartements indépendants
composés d'une antichambre, d'un salon,
de deux à trois chambres, d'une salle de bains
et d'une chambre de bonne. Au cinquième étage,
une série de loggias offre une vue
incomparable sur Nice.

WINTER-PALACE

Vaste hôtel de luxe, le Winter-Palace fut construit en 1900 pour une famille richissime d'hôteliers polonais sur le célèbre boulevard Cimiez où se trouvaient tous les grands hôtels niçois de la fin du XIXᵉ siècle. L'architecte choisit de réaliser une grande façade rectiligne très classique, animée d'ouvertures variant selon les étages.

Entre 1880 et 1914, Nice s'affirme comme résidence d'hiver, dans un premier temps de l'aristocratie, puis de la grande bourgeoisie européenne.

Construit pour abriter durant des mois une clientèle fortunée et raffinée, ce type d'hôtel-palais se devait d'être de grandes dimensions, pour abriter les salons et vastes chambres, et majestueux par son décor.

ALHAMBRA

Toujours construit sur le boulevard Cimiez, le surprenant Alhambra Hôtel fut dessiné par l'architecte polonais Adam Dettlof à la fin du siècle dernier avec un décor et des pièces architecturales orientales. Ainsi, les baies donnant sur de longs balcons aux ferronneries compliquées prennent des allures de moucharabiehs. Les clochers à bulbes, les céramiques colorées et les colonnes à palmettes ajoutent à cet aspect mauresque de la construction.

ḦÔTEL

Dans les années vingt, l'hôtel fut rénové, toujours avec cent-cinquante chambres dont soixante-quinze avec salle de bains. Etaient proposés aux clients, un bar américain, des tennis dans le parc et une navette gratuite pour le centre ville.

Ouvert toute l'année, une publicité de 1903 annonce 150 chambres dans un luxe toujours plus grand pour une clientèle devenue de plus en plus exigeante. Comme le Grand Hôtel d'Orient à Menton, l'Alhambra attirait les hivernants par son aspect oriental, dépaysement dans un paysage urbain.

ĦÔTEL MAJESTIC

Entre 1892 et 1911, quelques neuf grands hôtels vont être construits sur les hauteurs de Cimiez, du Riviera Palace à l'Hôtel Majestic. Tenu par le célèbre directeur Aletti, qui dirigera par la suite l'Impérial de Menton, le Majestic, tant par sa taille que sa situation, attirait un grand nombre d'hivernants quelque peu rebutés à la perspective de "se perdre" sur la colline de Cimiez loin du centre de Nice. Immense, avec ses cinq cents chambres, il compte parmi les plus grands hôtels de Nice jamais construits.

Après la Grande Guerre, cet hôtel de luxe conservera encore longtemps son rang. Il s'endormira dans les années trente quand les hivernants se transformeront en estivants à la recherche des chaleurs de l'été.

"Stratégiquement" construit sur la première hauteur de Cimiez, la plus proche du centre-ville, le Majestic réussit à drainer une importante clientèle avant et après la Première Guerre Mondiale. Se caractérisant par une entrée décalée sur la façade et une énorme rotonde-verrière abritant une salle de restaurant gigantesque, cet hôtel-palais comptait cinq cents chambres.

Nice

ĦOTEL ŊEGRESCO

L'Hôtel Négresco, situé sur la Promenade des Anglais, est né en 1913 de la fantastique rencontre entre le Roumain Henri Négresco, musicien tzigane, puis maître d'hôtel renommé devenu directeur du restaurant du casino, le constructeur automobile Darracq qui finança la construction, et l'architecte des palaces Edouard Niermans.

Les concepteurs du Négresco désiraient un hôtel-palais qui surpassa tout ce qui avait été construit auparavant dans et autour de Nice. Niermans dessine une énorme façade sur la mer, flanquée de deux tours, celle de droite surmontée d'un dôme et abritant l'entrée principale. La grande nouveauté, outre le fait que l'entrée principale n'était plus au centre du bâtiment, était que ce palace se trouvait au bord de la mer, et non plus sur les collines en retrait de la ville.

Avant la Première Guerre Mondiale, le Négresco comptait 420 chambres. Dans chaque chambre, des doubles cloisons et des doubles portes assuraient une parfaite isolation. Les chroniqueurs de l'époque s'extasièrent devant les techniques "révolutionnaires" : des commutateurs électriques à portée de la main, le nettoyage par aspiration de l'air et l'installation d'un service pneumatique de distribution du courrier par tube dans les appartements. Toutefois, même en 1920, le Négresco n'offre pas une salle de bains pour chaque chambre (300 pour 420).

GRAND HÔTEL DU CAP-FERRAT

À la pointe du Cap-Ferrat, s'élève face à la mer, le Grand Hôtel du Cap-Ferrat entouré d'un parc de six hectares, construit en 1908.

"Situé à l'extrême pointe du Cap-Ferrat, entouré de bois de pins, 150 chambres et salons avec confort moderne et vue merveilleuse, lift, électricité, salons, chauffage central, bains privés, thé-dansant, grand parc, tennis, croquets, canot, pêche au large, tir aux pigeons, auto-garage. De toutes les chambres de l'hôtel, on jouit d'un panorama unique de beauté et de grandeur incomparables. Ouvert toute l'année. Le Paradis de la Côte d'Azur." La Côte d'Azur, Guide Illustré 1927.

Superbement blanc, le Grand Hôtel n'a jamais fermé ses portes et accueille toujours une clientèle fortunée avide de calme et de tranquillité.

"Ailleurs on passe, ici l'on reste" fut la devise de l'hôtel durant des années, ou encore "Le paradis de la Riviera".

GRAND HÔTEL CAP FERRAT

En forme de fer à cheval face à la mer, Le Grand Hôtel du Cap Ferrat est entouré par une nature "sauvage", quelque peu à la manière du Grand Hôtel du Cap, dessiné par l'architecte Tersling. Toutefois ici, les lignes architecturales annoncent déjà le style épuré des années vingt.

127

Le début de ce siècle verra le passage remarqué à l'Hôtel de Paris, des Grands Ducs de la Sainte Russie dont l'excentricité aura ravi plus d'un chroniqueur de l'époque. Les membres de la famille impériale russe n'hésitaient pas à louer des étages entiers, consommant moult magnums de champagne qui finissaient brisés contre les colonnes de marbre de la salle à manger...

Dès son inauguration, l'Hôtel de Paris attirait une clientèle aisée avide de découvrir le nouveau visage de la Principauté. Les rois et les princes y retrouvaient le général Grant qui venait de quitter la présidence des Etats-Unis, le Grand Duc Serge de Russie, Jacques Offenbach, Jules Verne, Verdi et Alexandre Dumas, tous appréciant les menus pantagruéliques, une spécialité du restaurant de l'hôtel.

Une fois la Première Guerre Mondiale terminée, l'effervescence de la vie monégasque trouva un nouveau souffle, et l'Hôtel de Paris redevint le point de rendez-vous de l'élite internationale, et le quartier général des Diaghilev, Kochno et Lifar qui feront les grandes heures des Ballets russes... de Monte-Carlo. Une nouvelle parenthèse durant le second conflit mondial est suivie d'un retour de la clientèle internationale, en particulier royale anglaise avec le duc et la duchesse de Windsor, le duc d'Edimbourg, et Winston Churchill.

Depuis plus d'un siècle, l'Hôtel de Paris a réussi à s'adapter aux différents types de clientèle tout en alliant luxe et tradition. Il est aujourd'hui un des grands palaces dans le monde.

"Quotidiennement, 700 kilos de bœuf, 200 poulets, 150 pièces de gibier, 14 moutons, 150 douzaines d'huîtres et 1400 bouteilles de vins et liqueurs sont nécessaires à la bonne marche des cuisines sur lesquelles veillent 127 spécialistes." La Vie Mondaine, 1880.

Monte
Carlo

ḤERⱮITⱯGE

En 1864, l'Hermitage était une petite auberge entourée par les oliviers et les orangers. Devant le succès du casino, et la venue d'une clientèle nombreuse, les investisseurs se précipitent dans ce nouvel Eldorado de la Riviera. Aussi en 1900, l'architecte monégasque Marquet dessine-t-il les plans du nouvel hôtel l'Hermitage pour le compte d'une société anglaise.

La décoration de la façade, en particulier les fresques extérieures, ainsi que plusieurs pièces seront copiées sur celles du palais princier. De style néo-classique, cet hôtel luxueux est décoré par les meilleurs et les plus connus des artistes de l'époque. Tandis que le plafond de la salle à manger largement inspiré des décors du Grand Trianon est dû à Gabriel Ferrier, prix de Rome, la verrière du jardin d'hiver est l'œuvre de Gustave Eiffel.

Malgré la présence toute proche de l'Hôtel de Paris, l'Hermitage réussira tout au long du siècle à s'imposer et attirer une clientèle tout aussi riche et nombreuse.

GRAND-HOTEL
DU CAP-MARTIN

En 1889, le Cap-Martin est cédé à une société anglaise qui se charge de l'aménager. La première transformation importante sera la construction du Grand Hôtel du Cap sur les plans de l'architecte Tersling en 1890-1891.

L'architecte danois s'attache à dessiner un hôtel aux lignes urbaines tout en conservant l'aspect naturel du site. Ainsi, outre son isolement apprécié par la clientèle aristocratique fatiguée de la vie mondaine, le Grand-Hôtel du Cap dut son succès à son aspect, mis en valeur par l'architecte, de palace urbain situé au sein d'une nature "sauvage" face à l'immensité de la mer.

En effet, à la Belle Epoque, les hivernants gardaient une certaine distance à l'égard des éléments naturels, aussi le retour dans un endroit civilisé, le Grand-Hôtel, après plusieurs heures de marche dans la nature, était-il indispensable.

Le Grand-Hôtel fit rapidement le succès de l'endroit. L'empereur François-Joseph y séjourna quatre fois, la dernière durant l'hiver 1896-1897. La clientèle fortunée fit construire de superbes villas alentour, la plupart dessinée par Tersling lié à la société immobilière anglaise du cap. Ainsi, à partir de 1893 le Cap-Martin prendra un caractère de réussite tant mondain qu'architectural.

La situation de l'hôtel en front de mer dans un endroit relativement isolé assurera son succès auprès de la clientèle aristocratique lassée d'une vie mondaine trépidante. Les promenades dans le parc planté d'essences méridionales et sillonné de nombreuses allées, avec vue sur la mer faisait le charme de cet hôtel luxueux.

CAP-MARTIN HOTEL
entre Monte Carlo & Menton

Telegrámmes HOTEL CAPMARTIN   Telephones : MENTON { 0.51 / 6.39 / 6.40

Ce palace blanc isolé dans un vaste parc
face à la mer fit beaucoup pour la renommée du cap Martin.

RIVIERA-PALACE

En 1898, Joseph-Arthème Widmer achète une série de terrains sur la colline du Carei. Son but : promouvoir une conception toute nouvelle de l'hôtellerie, à savoir réaliser un hôtel-palais situé à la fois dans le centre urbain et non loin de la mer.

La construction, conduite par deux architectes, Glena et Marsang, s'effectue en deux temps. Initialement composé de trois étages, le grand hôtel mentonnais voit sa structure définitive achevée en 1910 avec cinq étages.

La façade monumentale
du Riviera Palace reste grandiose.
En effet, elle ne comporte pas
moins de cinq étages de couleur
cyclamen et gris Trianon,
un décrochement central
entouré de deux tours carrées
encadrant un sixième étage formé
par une terrasse couverte
à colonnes.

Le Riviera possédait une immense salle à manger en forme de rotonde dont l'immense baie se découpait entre des colonnes à chapiteaux ioniques. La façade est encore de nos jours enrichie entre les fenêtres du quatrième étage par des panneaux et des éléments de céramique vernissée représentant les armoiries des villes d'origine des clients les plus célèbres.

Elément rare, ce palace a conservé l'architecture et le décor de son hall d'entrée avec un escalier monumental et un plafond en voûtes d'ogive s'appuyant sur deux rangées de colonnes.

Le Riviera disposait d'un théâtre équipé d'une machinerie lui permettant de s'ouvrir et de devenir une salle de spectacle en plein air. En 1913, le palace comptait 250 chambres.

"La plus belle et la plus saine situation au milieu d'un parc de quinze hectares. Plein midi avec vue splendide sur la mer et les montagnes."
Les Hôtels de la France 1938.

137

WINTER-PALACE

Construit en 1902, comme le Riviera-Palace, situé comme lui sur la colline derrière la ville et dominant la baie, le Winter-Palace sera avec le Riviera, le plus important hôtel de Menton. Le choix de l'orientation de cet hôtel, inhabituel à cette époque, assure le maximum de soleil, une vue exceptionnelle, et permet de bénéficier "d'un air pur à cause de l'altitude".

La façade du Winter est plus sobre que celle du Riviera, toujours constituée d'un vaste bâtiment, avec un avant-corps central surmonté de deux tours carrées. Tous les balcons sont en fer forgé.

Malheureusement, comme pour beaucoup d'hôtels-palais, le décor intérieur a disparu lors de transformations.

Le Winter-Palace, avec ses 220 chambres, ne survivra pas en tant que grand hôtel aux années trente, et s'endormira finalement sur la colline, pour être après la guerre, vendu en appartements.

Winter-Palace, Menton. Le Promenoir Terrasse.

Winter-Palace, Menton. Salon de Lecture.

Winter-Palace, Menton. Un Coin du Grand Hall.

"Le Winter-Palace est un modèle de confort et d'hygiène. Les chambres sont éclairées à l'électricité, chauffées à l'eau chaude et ventilées par un système combiné avec le chauffage. Elles ont des cabinets de toilette avec eau froide et chaude, des salles de bains et WC privés." Guide de la Côte d'Azur 1903/1904

Transformée en copropriété,
cette belle construction
de type mauresque fut
durant des années le splendide
Grand Hôtel d'Orient.

GRAND HOTEL D'ORIENT

Le Grand Hôtel d'Orient présente certainement l'une des plus originales architectures d'hôtels de la Côte d'Azur. Avec des emprunts au style mauresque avec ses minarets d'angle et indien à l'image de palais de maharadjah, ce bel hôtel de cinq étages et de cent-quinze chambres, a connu une clientèle hivernale cossue, heureuse d'éviter les bruits de la ville grâce au grand parc, mais contente d'habiter au cœur de celle-ci.

Le but de l'architecte fut de reproduire avec quelques libertés des bâtiments des pays de séjour de certains hôtes afin de ne pas trop les "dépayser".

Pour satisfaire
la clientèle d'"expatriés"
venant régulièrement en France,
l'architecture du Grand Hôtel
d'Orient fut dessinée
pour leur rappeler
les pays "exotiques"
où ils séjournaient.

Menton

143

REMERCIEMENTS

Les Archives de la ville de Biarritz, Myriana Baston des hôtels Lucien Barrière de La Baule, Mme Botcazou du Normandy-Hôtel à Deauville, Jean-Pierre Broutin, Fabienne Butelli de l'Hôtel Majestic à Cannes, M. Capéran du service du patrimoine de la ville de Menton, Jean Casenave, Mme Fernandez de la bibliothèque municipale d'Arcachon, Cyril Edmond-Blanc, Raymond Lambert, en particulier Maurice Lanlard, Naïck Lazreug de l'Hôtel Martinez, Frédéric Lecygne, Jeanne Letellier, Anna Lichtner du Carlton à Cannes, Paul Gaujac, Jeanne Marchetti de l'Hôtel du Palais à Biarritz, Ferdinand Martelli de l'Hôtel de Paris à Monte-Carlo, Mme Nicolaï du musée municipal d'Hyères, Beate Patzelt du Grand-Hôtel du Cap-Ferrat, Michèle Obrecht du Grand Hôtel de Cabourg, La société hôtelière Lucien Barrière.

BIBLIOGRAPHIE

Les palaces et grands hôtels de la Manche :
Le Touquet-Paris-Plage, la Côte d'Opale des années trente, Richard Klein, 1994, Institut Français d'Architecture.
Images du Touquet-Paris-Plage, Edith et Yves de Geeter, 1987, Seine-Maritime, Normandie, 1995, Guides Gallimard.
Calvados, Normandie, 1995, Guides Gallimard.
Trouville, Deauville, Société et Architectures Balnéaires, 1992, Institut Français d'Architecture.
Côte d'Emeraude, Bretagne, 1992, Guides Gallimard.
Dinard. La vie balnéaire à travers les hôtels du Second Empire à nos jours, Henri Fermin, 1986, Association des Amis du Musée du Pays de Dinard.
Le Site Balnéaire, Dominique Rouillard, 1984, Pierre Mardaga Editeur.

Les palaces et grands hôtels de l'Atlantique :
Loire-Atlantique, Bretagne, 1992, Guides Gallimard.
Archives de la ville de Biarritz.
Le Pays Basque, Architectures des Années 20 et 30, 1993, Institut Français d'Architecture.
Architectures de Biarritz et de la Côte Basque, de la Belle Epoque aux Années Trente, Geneviève Mesuret et Maurice Culot, 1990, Edition Mardaga.
Pays Basque, Guides Gallimard 1994.
Mémoire en Images La Baule, Yves Archimbaud, 1995 Editions Alan Sutton.
La Vie Quotidienne au Pays Basque à la Belle Epoque, Jean Casenave, 1975, 1977.

Biarritz, Villas et jardins, 1900-1930, 1992, Institut Français d'Architecture.
Saint-Jean-de-Luz en cartes postales anciennes, Jean Casenave, 1978.

Les palaces et grands hôtels de la Méditerranée :
Var, Provence Côte d'Azur, 1994, Guides Gallimard.
Saint-Raphaël, le Temps retrouvé, Marcel Carlini, 1994, Editions Equinoxe.
Cannes, 1835-1914. Villégiature, urbanisation, architectures, Camille Milliet-Mondon, 1986, Editions Serre.
La Fabuleuse Histoire de Cannes, Jean Bresson, 1981, Editions du Rocher.
Hans-Georges Tersling, architecte de la Côte d'Azur, Michel Steve, 1990, Editions Serre.
Archives de la Côte d'Azur, Jacques Borgé et Nicolas Viasnoff, 1994, Editions Michèle Trinckvel.
Guide de la Côte d'Azur, Nice 1903-1904.
Edouard Niermans, l'architecte des palaces 1900, Connaissance des Arts n°280, juin 1975.
La Belle Epoque, Architecture et urbanisme à Nice, Institut d'Etudes Niçoises, 1984.
Hôtel de Paris, Monte-Carlo, un siècle d'histoire, Francis Rosset, Edition S.N.E.A.
De l'hôtel-palais en Riviera, de l'hôtel au palace, 1985, la Bibliothèque des Arts.
Alpes-Maritimes, 1994 Guides Gallimard.
Conférence : Menton à la Belle Epoque, JG. Martial-Salme.
Rêveuse Riviera, Cuchi White, 1983, Editions Herscher.

ISBN : 2 908 182 548
Numéro d'éditeur : 2-908 182
Dépôt légal : 2ᵉ trimestre 1996
Cet ouvrage est édité par **Histoire & Collections**
5, avenue de la République - 75541 PARIS Cedex 11
Tél. : (1) 40 21 18 20
Directeur de collection : Patrick Rivière
Conception et réalisation : FABECO - **Flashage :** ARRIGO à CENON (33) - **Impression :** BETA-EDITORIAL à BARCELONE